Annie Langlois

Du plus loin qu'elle se souvienne, Annie Langlois a toujours été passionnée par les livres. Elle a étudié en littérature et elle termine un doctorat à l'université Sorbonne-Nouvelle, en France. Annie a été libraire pendant plusieurs années, chargée de cours à l'université et elle a été directrice littéraire et artistique aux éditions de la courte échelle. En plus d'être l'auteure de la série Florent et Florence, publiée dans la collection Premier Roman, elle écrit les aventures de la petite Victorine dans les collections Albums et Mon Roman.

Jimmy Beaulieu

Jimmy Beaulieu est né à l'Île d'Orléans et il habite Montréal depuis quelques années. Homme-orchestre, il exerce tous les métiers de la bande dessinée: auteur, éditeur, libraire et critique. Il est également illustrateur et il anime un atelier de création au cégep du Vieux-Montréal. *La sculpture de Nestor l'alligator* est le troisième roman qu'il illustre à la courte échelle.

De la même auteure, à la courte échelle

Collection Albums
Victorine et la pièce d'or

Collection Mon Roman
Série Victorine:
Victorine et la liste d'épicerie
Victorine et la balade en voiture

Collection Premier Roman
Série Florent et Florence:
L'évasion d'Alfred le dindon
La chorale des sept petits cochons

Annie Langlois

La sculpture de Nestor l'alligator

Illustrations
de Jimmy Beaulieu

la courte échelle

Les éditions de la courte échelle inc.
5243, boul. Saint-Laurent
Montréal (Québec) H2T 1S4
www.courteechelle.com

Révision:
Lise Duquette

Conception graphique de l'intérieur:
Derome design inc.

Infographie:
Sara Dagenais et Pige communication

Dépôt légal, 1er trimestre 2007
Bibliothèque nationale du Québec

La courte échelle reconnaît l'aide financière du gouvernement du Canada par l'entremise du Programme d'aide au développement de l'industrie de l'édition pour ses activités d'édition. La courte échelle est aussi inscrite au programme de subvention globale du Conseil des Arts du Canada et reçoit l'appui du gouvernement du Québec par l'intermédiaire de la SODEC.

La courte échelle bénéficie également du Programme de crédit d'impôt pour l'édition de livres — Gestion SODEC — du gouvernement du Québec.

Catalogage avant publication de Bibliothèque et Archives Canada

Langlois, Annie

La sculpture de Nestor l'alligator

(Premier Roman; PR156)

ISBN 978-2-89021-905-2

I. Beaulieu, Jimmy. II. Titre. III. Collection.

PS8573.A564S28 2007 jC843'.6 C2006-942053-X
PS9573.A564S28 2007

Imprimé au Canada

Annie Langlois

La sculpture de Nestor l'alligator

Illustrations
de Jimmy Beaulieu

la courte échelle

À Sébastien H., mon grand dévoreur d'alligators du Mississippi.

1
Est-ce que ça mord, un alligator?

C'est déjà le moment de notre départ pour le lac aux Mouches. Pour la première fois, je n'ai pas vu le temps passer. J'ai été prise par les examens et par mon rôle de metteur en scène pour le festival de fin d'année.

Mon frère, lui, a présenté une chorégraphie de danse hip-hop devant les élèves de notre école. Ce spectacle a été un succès. Et mon frère a maintenant une cohorte de filles à ses pieds! Dont Élodie, ma meilleure amie.

Coal

De ma chambre, j'entends notre oncle Roland qui chante son bonheur de déménager à la campagne. Il sait qu'il y retrouvera Marie, sa charmante amoureuse!

Ça y est, je suis prête. De son côté, Florent est prisonnier du téléphone. Tiens, tiens, il parle à Élodie. Je tends l'oreille:

— ... oui, oui, tu pourras m'appeler au chalet. Florence ne t'a pas donné le numéro?

C'est un fait, je n'ai pas pensé à le lui donner. Je me sens un peu coupable. Mais, après tout, elle ne me l'a pas demandé non plus!

J'entrouvre la porte pour espionner Florent. Je ne sais pas ce que ma copine vient de répondre au bout du fil, mais il devient rouge. Il bafouille, puis raccroche enfin.

Je fais mine d'arriver dans la pièce:

— Ce n'est pas trop tôt, monsieur la vedette!

Florent ne m'écoute pas. Je crois qu'il ne me voit pas non plus. Il se dirige vers son garde-robe d'où il tire sa valise. En trois minutes quarante-cinq secondes, il a terminé ses bagages.

Quand il s'installe à mes côtés,

dans la voiture, il n'a toujours pas ouvert la bouche.

— Ça va, Florent? s'inquiète notre oncle.

— Oui, oui...

Ni moi ni Roland ne sommes convaincus par sa réponse. Nous n'insistons pas. Mon frère a la tête ailleurs, c'est sûr. Il n'est plus lui-même. Qu'est-ce qu'elle lui a fait, ma copine?

***

Lorsque nous arrivons au chalet, Florent redevient à peu près normal. Comme moi, il a hâte de découvrir quel sera notre animal de compagnie, cet été.

Notre oncle est l'un des meilleurs éleveurs d'animaux du pays pour le cinéma et la télévision. Chaque année, une nouvelle bête tient le rôle vedette de nos vacances!

Florent et moi faisons la course jusqu'à la grange. Nous nous amusons à deviner:

— Je gage que c'est une gazelle! fais-je en galopant.

— Non, c'est un lion! rugit mon frère à bout de souffle.

Enfin, nous ouvrons les immenses portes de bois: surprise! La pièce est vide. Le silence le plus total habite les lieux.

Déçus, nous retournons à la voiture. Roland a l'air espiègle de celui qui vient de jouer un tour pendable.

— Cette année, mes poussins, l'élevage se déroulera ailleurs.

— Ailleurs où? demande Florent.

Mon oncle indique la direction de l'étang.

— Je sais! Je sais! s'exclame mon frère.

Et il se met à sauter partout en criant: «Wrabit! Wrabit!» Roland garde son sérieux et fait signe que non. Il nous suit jusqu'à la zone d'élevage. Je prie pour que ce ne soit pas des sangsues!

Mon frère devient tout à coup surexcité lorsqu'il aperçoit l'énorme et étrange animal.

— Wow! Un alligator!

Dans le brouhaha, moi, je reste de glace. Un alligator? Qu'est-ce qu'on peut bien apprendre à un tel animal? Et surtout je me demande… est-ce que ça mord, un alligator?

2
Un alligator, ça dort

L'excitation de mon frère a vite laissé place à la lassitude. Nous sommes arrivés depuis trois jours et Nestor, notre alligator, a seulement bougé de sept centimètres.

Une catastrophe pour notre oncle qui doit enseigner au reptile une chorégraphie pour une publicité de boisson vitaminée.

Le slogan est: «Vita-Jus, ça donne le goût de danser!» Méchant défi pour Roland! Apprendre à danser à l'un des animaux les plus lents et paresseux de la planète. J'ai l'impression qu'il aura une fois de plus besoin de notre aide!

— Nestor! Par ici, Nestor! tente mon pauvre oncle.

Rien n'y fait. Roland ne se décourage pas.

— C'est la première journée de travail de Nestor, explique-t-il. Il faut être patient.

L'alligator réchauffe sa longue carcasse au soleil et bâille de temps en temps. L'été s'annonce franchement peu passionnant!

Nous bâillons à notre tour. Roland en profite pour s'éclipser. Il est l'heure pour lui de saluer sa jolie Marie.

C'est à cet instant que quelque chose se passe enfin: Nestor bouge!

Il s'approche d'un gros monticule de glaise et de détritus qu'il tâte de ses minuscules pattes.

— Qu'est-ce qu'il fait? me demande mon frère.

J'observe les allées et venues de l'alligator. Ses mouvements semblent précis. Après un moment, Nestor recule pour voir le résultat. Insatisfait, il retourne à son travail. Il tripote l'amas de glaise sans ménagement.

— J'ai l'impression qu'il est en train de sculpter...

Curieux, Florent s'approche de

«l'oeuvre» de Nestor. Mon frère n'a pas l'habitude d'user de tact. Il pouffe de rire:

— On ne peut pas dire que le résultat soit très réussi, mon ami!

Sans doute vexé par ces propos, Nestor croque les fesses de mon frère. Pas trop fort, mais juste assez pour que Florent s'enfuie à une vitesse surprenante.

— Nestor, serais-tu susceptible, par hasard?

Le gros reptile me regarde et claque des dents. Je comprends que notre artiste a besoin de son espace de création et d'un peu d'intimité. Je quitte les lieux avant de subir le même sort que Florent.

***

Mon oncle est dans le jardin où il roucoule des mots doux à sa compagne. Marie lui répond par quelques doux baisers. Derrière eux, dans la maison, tout est silencieux. Aucune trace de mon frérot peureux.

Je monte enfiler mon maillot pour une baignade. Au moment d'entrer dans la chambre, j'entends murmurer de l'autre côté de la porte. Je tends l'oreille, pour la deuxième fois de la journée:

— Moi aussi je pense très fort à toi.

— ...

— Tu me manques encore plus.

Je n'y crois pas. Mon frère est en pleine déclaration d'amour! Il pouvait bien courir se cacher,

monsieur l'amoureux de MA meilleure amie!

Quand Florent raccroche, j'ai le coeur gros. Je constate qu'Élodie n'a pas demandé à me parler. Qu'est-ce qu'il a de plus que moi, mon frère? Pourquoi MA copine ne m'a-t-elle jamais appelée pour me dire que je lui manquais?

Sans insister, je redescends l'escalier. Je voudrais me plaindre à mon oncle, sauf qu'il est maintenant occupé à bécoter Marie dans le cou.

Non, mais ça ne va pas, l'amour! Tout le monde a besoin d'intimité, ici. Et moi dans tout ça?

3
Je vais l'avoir, cet alligator!

Pour me changer les idées et m'éloigner des amoureux, j'ai décidé de me concentrer sur le cas de Nestor.

Après plusieurs jours de réflexion, j'ai enfin trouvé la solution. Je me suis inspirée des exemples d'amour autour de moi et... j'ai pensé créer un costume d'«alligatoresse»!

Deux ou trois baisers à Nestor et le tour sera joué! L'amour, ça

rend un peu bêta, tout le monde sait ça. On pourra manipuler l'alligator à notre guise.

Quand mon frère me rejoint, je termine justement mon bricolage.

— Wow! s'exclame Florent, c'est quoi ça?

Je lui explique mon plan. Comme d'habitude, il n'a pas l'air très confiant. J'ai beau parader en claquant de la mâchoire, il semble sceptique.

— Florence, si Nestor m'a mordu pour un rien, sois assurée qu'il ne fera qu'une bouchée de ton costume à la noix.

— C'est ce qu'on verra. Car j'ai décidé que c'est toi qui te déguiseras.

Il s'écrie que ce n'est pas juste et que blablabla. Je ne l'écoute

pas. Il n'a fait aucun effort depuis le début des vacances. Je ne pleurerai pas sur son sort!

Je vais rejoindre Nestor. J'ai en poche l'appareil photo de mon oncle. Si Florent pense qu'il peut me voler MON Élodie, il se trompe! J'ai une idée derrière la tête.

Dehors, Nestor joue encore avec son tas de glaise. Il s'affaire sans s'occuper de moi. Il a l'air pressé de terminer son oeuvre.

Lorsque mon frère l'alligator se présente, il passe devant moi en me signifiant sa mauvaise humeur: «Grrrrr!» Je ne me laisse pas impressionner:

— Tu dois te promener à quatre pattes, Florent. Comme un véritable reptile.

— Florence, boude-t-il, tu exagères!

— Chut! Les alligators ne parlent pas.

Mon frère se couche sur le sol et tente de rejoindre Nestor en rampant.

— Fais ton joli! Tu dois séduire Nestor.

Florent se met alors à onduler de son long corps de reptile. Il penche la tête en émettant des «grrrrr» langoureux. Je lui fais faire un peu n'importe quoi, c'est une douce vengeance.

Cette scène mérite de passer à la postérité. Je prends discrètement quelques photos de mon dadais de frère dans l'idée de les montrer à Élodie.

En moins d'une minute, la tentative de séduction tourne au vinaigre. Nestor est insensible au charme de la fausse alligatoresse. Il se met à vagir comme un fou:

— BRRRRROUGGGGH!

On croirait entendre un énorme rot bien bruyant. Mon frère se fige. Par chance, Nestor décide de prendre la fuite pour se réfugier au sommet de sa gigantesque sculpture.

Mon frère en profite pour se moquer de moi:

— J'ai l'impression que ton costume n'est pas au point, Florence...

Bon, je dois me creuser les méninges une nouvelle fois. Je ne lâcherai pas prise si facilement, oh non!

4
Allez, Nestor, un petit effort!

Depuis la scène de la séduction, Nestor est traumatisé. Ça fait déjà plus de deux semaines et il n'a toujours pas bougé de sa sculpture de boue.

Il nous observe d'un oeil inquiet, craignant qu'on ne lui refasse le coup de l'alligatoresse. Il n'a pas beaucoup d'humour, notre Nestor. C'est un artiste qui se prend au sérieux!

Oncle Roland s'arrache les

cheveux de désespoir. Il tente de convaincre la compagnie Vita-Jus de changer de mascotte. En vain. Ils tiennent à leur alligator dansant.

De son côté, mon frère n'est pas d'un grand secours. Il occupe son temps à se cacher pour passer des coups de fil à Élodie. Et quand il est avec nous, son esprit vagabonde ailleurs. C'est très ennuyeux d'avoir un frère amoureux.

Moi, je ne baisse pas les bras. Je reste près de l'étang pour tenir compagnie à Nestor. Je lui explique la situation, je lui parle de la pluie et du beau temps.

De toute façon, avec mon frère dans les vapes, je n'ai pas vraiment d'autres occupations. Peut-être qu'avec un peu de patience j'arriverai à un résultat.

— Allez, Nestor, un petit effort…

Cette fois, j'ose m'approcher du gros reptile. Je lui tends la main comme on le fait avec les chiens.

— Doux, Nestor, doux.

Heureusement pour moi, il ne bronche pas quand je glisse mes doigts sur son museau humide. Je le caresse doucement en lui chantant un air qui pourrait lui plaire:

— «Ah! les crocos! Ah! les crocos! Ah! les crocodiiiiiles! Sur le bord du Nil, ils sont partis, n'en parlons plus!»

Cette chanson lui rappelle sans doute son ancienne vie, car Nestor balance sa grosse tête au rythme de ma voix.

— Bon Nestor, bon alligator!

Je cherche un témoin. Personne à l'horizon. Ni frère, ni oncle, ni voisine. C'est bien ma veine. Je poursuis la chanson et Nestor frétille légèrement des pattes.

Trois minutes plus tard, il fait quelques mouvements de va-et-vient de la tête. On croirait voir là un chanteur de hip-hop devant son micro. Je ne suis pas peu fière du résultat!

— Tout ce qui te manque, mon Nestor, c'est un entraîneur!

Je suis si contente de mon coup que je m'élance pour annoncer la bonne nouvelle aux autres.

***

Je trouve Florent et Marie installés sur la balançoire de la galerie. Notre voisine aide mon frère à composer une lettre d'amour pour Élodie. Pfff! Quelle perte de

temps! Je lance:

— Je vous entends déjà me dire: «Florence, tu es la meilleure!»

— Quoi encore? soupire mon frère.

— Sachez que J'AI réussi à faire danser Nestor! J'attends les applaudissements...

Florent réplique:

— Même pas vrai!

Mon oncle, alerté par ma phrase, sort de la maison:

— Et moi, j'attends des preuves, ma Florence, des preuves!

Nous nous rendons à l'étang où mon copain l'alligator dort maintenant à poings fermés. Sans doute est-il épuisé par les efforts qu'il a fournis en ma compagnie. Je l'appelle doucement:

— Nestor, je t'en prie, montre-leur ce que tu sais faire.

Un peu intimidée par le nouveau public, j'entame ma chanson. Les trois spectateurs me regardent, perplexes. Le choix musical les surprend, c'est évident.

— Tu penses vraiment lui donner le goût de danser avec ta chanson? me demande Florent. Tu es drôlement dans les patates!

Nestor dort, dort et dort encore. Zut! Le fait-il exprès? J'élève la voix pour le réveiller un peu. Mais ça provoque l'hilarité générale. Même Marie rigole à pleins poumons.

J'ai honte. C'est vrai que cette situation est plutôt absurde.

5
De la honte à la victoire

La scène de la chanson a laissé des traces dans notre famille. J'ai droit à d'innombrables remarques à propos de ma performance musicale.

J'en ai plus qu'assez! On dirait qu'il n'y a que moi qui tente de trouver une solution. Les autres ne vivent que d'amour et d'eau fraîche. Bisous par-ci, mamours par-là... Un peu de sérieux, s'il vous plaît!

Alors je passe mes journées à

l'étang. Je fais mine de m'occuper des grenouilles, mais en réalité j'espionne Nestor.

Je sens que ça ne tourne pas rond aujourd'hui. Il semble nerveux. Il grimpe sur son oeuvre. Il en redescend. Il vient vers moi, il me pousse légèrement avec son museau. Puis il retourne sur son monticule.

— Qu'est-ce qu'il y a, Nestor?

Nestor hoche sa longue tête pointue. En me rapprochant de la sculpture, je perçois un son étrange. Une sorte de piaillement aigu.

L'alligator se met à gratter son monticule avec impatience. C'est de là que proviennent les cris. Je comprends que Nestor demande mon secours.

— Je vais t'aider, attends!

Les plaques de boue se sont solidifiées au soleil, la sculpture est très solide. Je dois appeler du renfort:

— FLORENT! Viens ici! Vite!

En entendant mon appel, Marie et Roland accourent à la suite de mon frère. Nous sommes maintenant quatre humains et un reptile à gratter dans l'horrible chef-d'oeuvre séché. J'ai les ongles remplis de terre et les mains sales comme jamais.

— Grrrigrrrigrrri! Grrrigrrri-grrri! Grrrigrrrigrrri!

Les cris sont de plus en plus insistants. Ça y est, nous avons ouvert une brèche. Nous l'agrandissons avec énergie.

— Oh! s'exclame Marie, qu'ils sont mimis!

Elle est la première à comprendre qu'on vient de découvrir les bébés de Nestor...

— Nestor est une maman?! s'étonne mon frère encore étourdi par l'effort.

— Petite cachottière! lance mon oncle déboussolé par la nouvelle.

Je crois qu'il s'en veut de ne pas avoir reconnu le sexe de son

reptile. Peut-être qu'il réalise enfin qu'il n'a pas été très sérieux dans son travail. Il n'y avait que Marie et ses doux baisers...

Pendant que je médite sur le temps perdu par mon oncle, Florent compte les rejetons:

— Wow! Il y a trente-trois Nestor junior!

Un à un, nous les sortons de leur nid sous le regard rassuré de maman Nestor qui — on l'aura deviné — s'endort aussitôt.

***

À la fin de la journée, Marie nous invite à déguster un repas en l'honneur de la nouvelle maman.

Nous avons installé une table près de l'étang afin de pouvoir observer les bébés alligators. En levant sa coupe de jus de capucine, mon oncle déclare:

— Florence, je dois te féliciter! Grâce à toi, nous avons pu sauver ces petits poussins.

— «Alligatoreaux», le reprend mon frère.

— Oui, c'est ça. Bravo pour ta persévérance, ma Florence!

Et nous levons notre verre à ma santé. Il était temps qu'on reconnaisse mon sérieux et mon infinie patience!

32

Après une recherche dans Internet, nous avons appris que le monticule était en fait un nid où avait pondu notre Nestor. Moi qui croyais que notre alligator avait une âme d'artiste, je me suis trompée!

À mes pieds, deux petits bébés alligators s'amusent à mordiller mes lacets. Je leur glisse une bouchée du délice à la myrtille préparé par Marie. Ils sont gourmands et bien énergiques.

Ça me donne une idée. J'aurais encore besoin de l'aide de mon frère… mais il faudra patienter jusqu'à demain.

6
Le hip-hop des alligators

Il est à peine cinq heures du matin quand je réveille mon frère.

— Lève-toi vite, Florent! J'ai un plan!

Le paresseux s'étire, bâille longuement et se rendort aussitôt. Je dois prendre les grands moyens:

— Florent, c'est Élodie pour toi au téléphone.

Le voilà debout en moins de sept secondes. Quand il constate que je l'ai mené en bateau, il décide de me bouder.

— Florent, je te garantis que tu vas t'amuser! Dépêche-toi!

Avant de sortir de la maison, je prends mon lecteur MP3 et les haut-parleurs de l'ordinateur de Roland.

Les alligators sont moins paresseux que mon frère. Ils sont déjà en train de jouer dans l'étang. J'appelle la maman et je lui explique mon idée:

— Nestor, on doit aider Roland à garder sa renommée d'éleveur. Est-ce qu'on peut compter sur toi?

L'alligator acquiesce et rassemble ses petits en demi-cercle. Je m'invente un rôle de présentatrice:

— Chers amis, aujourd'hui, je vous invite à devenir des vedettes de la télévision! Je vous présente votre entraîneur: Florent-rhythm-of-the-night!

Et, au son d'une musique hip-hop endiablée, mon frère se lance dans la chorégraphie de son spectacle de fin d'année.

Les rejetons sont en admiration devant mon frère. Et que dire de Nestor-femelle? On croirait reconnaître l'engouement d'Élodie. Je pense que la maman alligator n'est pas insensible au charme de Florent, finalement!

***

Après une longue séance d'entraînement, la rythmique des alligators n'est pas encore au point, mais elle n'en est pas loin. Nous travaillons d'arrache-pied. Mon frère enseigne les pas, moi, je m'occupe de la mise en scène.

Le travail d'équipe est si efficace que, vers la fin de l'après-midi, nous avons déjà réussi à monter le spectacle. Roland n'en revient pas.

— Qu'est-ce que je deviendrais sans vous, mes poussins? demande-t-il, la larme à l'oeil.

Puis il nous fait un de ses plus gros câlins à vie. Florent est un peu gêné par ce débordement d'affection devant ses nouveaux fans. Il se dégage et tente de retrouver sa contenance.

— Hum! Ciao, les mecs! À demain! lance-t-il à ses copains alligators.

En ce qui me concerne, j'ai tellement manqué d'attention ces derniers temps que je me laisse cajoler avec le plus grand des plaisirs!

7
Florent, c'est le plus fort!

Quand les soirées deviennent trop fraîches pour qu'on prenne le repas à l'extérieur, c'est signe que l'été s'achève.

Les reptiles retourneront vivre chez leur propriétaire en Floride. Et nous repartirons pour la ville. Mais pour l'heure, nous festoyons une dernière fois dans la grange!

Les dirigeants de la compagnie Vita-Jus sont fous de joie! Ils espéraient un alligator dansant, ils en ont eu plus de trente pour le même prix! La publicité sera en ondes à partir de l'automne. Nous sommes impatients de voir nos amis au petit écran.

Pour notre dernière soirée en compagnie de la famille alligator, Marie a préparé un festin! Un soufflé aux marguerites et aux betteraves pour nous, et des croquettes de criquet pour nos amis amphibiens.

De son côté, Roland a invité quelques-uns de nos amis... dont Élodie.

La musique résonne dans la grange. Les gens dansent. Florent, lui, partage son temps entre Élodie et Nestor. Il y a un peu de jalousie dans l'air. Néanmoins, nous nous amusons comme des fous!

— Ton frère, c'est vraiment le plus fort, Florence!

C'est Élodie qui s'arrête pour une pause. Elle regarde amoureusement Florent qui gonfle le torse pour paraître plus musclé. Elle poursuit, gênée:

— Crois-tu qu'il s'intéresse encore à moi?

C'est le moment que j'attendais pour sortir les clichés de Florent déguisé en alligator...

J'espérais rigoler un bon coup, mais je réalise que je suis seulement jalouse de ne plus avoir l'attention de mon frère et de ma meilleure amie. Plutôt que de montrer les photos à Élodie, je lui chuchote:

— Il n'a pas arrêté de penser à toi de l'été!

Ma copine est heureuse. Elle m'embrasse sur la joue et me dit le mot le plus doux:

— Florence, mon amie, je t'adore!

Puis, elle retourne danser avec mon frérot. Je les regarde qui rigolent en tournoyant et je me dis que c'est ça, la vie. Florent ne sera pas toujours là pour s'amuser avec moi! Ma meilleure amie non plus.

Je me console en pensant qu'une chose ne changera pas: il y aura toujours les animaux de mon oncle pour me désennuyer chaque été. Jusqu'à ce que je rencontre mon prince charmant... mais, à vrai dire, je ne suis pas pressée!

Table des matières

Achevé d'imprimer en février 2007
sur les presses de l'imprimerie Gauvin,
Gatineau, Québec